젊어서 고생하며

배운 것들

르는 시인 지음

젊어서 고생하며 배운 것들 45가지

발 행 | 2023년 12월 4일
저 자 | 배우는 시인
펴낸이 | 한건희
펴낸곳 | 주식회사 부크크
출판사등록 | 2014.07.15(제2014-16호)
주 소 | 서울특별시 금천구 가산디지털1로 119 SK트윈타워 A동 305호
전 화 | 1670-8316
이메일 | info@bookk.co.kr

ISBN | 979-11-410-5709-1

www.bookk.co.kr
ⓒ 배우는 시인 2023

배우는 시인

서울 태생. 한림대학교에서 국어국문학 전공.

문학고을 시부문 신인상 수상 및 시인 등단.

수많은 좌절과 실패를 경험한 대한민국의 청년.

세상의 모든 것을 통해 배우는 시인이

되는 것을 목표로 하고 있다.

Instagram: '배우는 시인' 검색

이 책을 소중한 _____에게 드립니다.

20   년   월   일

_____

CONTENT

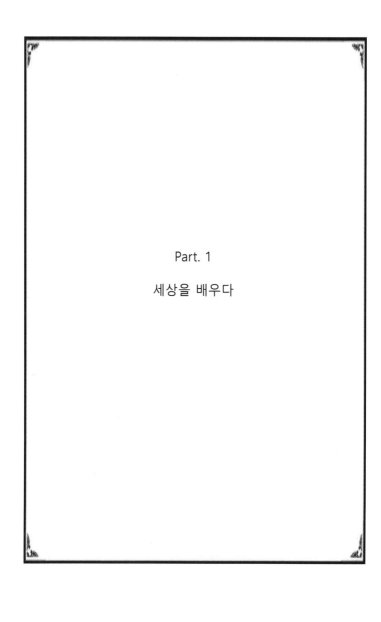

Part. 1

세상을 배우다

윗물과 아랫물

사노라면

'윗물이 맑아야 아랫물이 맑다'는 것은

누구나 원하고 있는

자연의 법칙

허나 윗물이

더러울 수 있다는 것이

지금의 현실

더러운 물을

그대로 내린다면

죄와 타협해야 하고

윗물이 맑은 곳을

찾으려 한다면

배신을 해야 하고

맑은 물을

내리려 한다면

집착을 하게 되고

난국(難局)이로다

젊어서 고생하며 배운 것 1.

"상행하효(上行下效)"

윗 사람이 하는 대로 아랫사람이 그대로 모방하다.

(출처: 네이버 국어사전)

텃새와 철새

추우면 춥다

더우면 덥다

하고싶은 것을 하는

새는 철새가 되지만

추우면 덥다

더우면 춥다

하고싶은 것을 못하는

새는 텃새가 된다

젊어서 고생하며 배운 것 2.

"만약 당신이 진정으로 좋아하는 일을 하게 된다면, 당신은 평생 단 하루도 일을 하는 것처럼 느껴지지 않게 될 것이다."

- 마크 앤소니 -

상처가 난 닭

어느 날 키우는

닭 한 마리가

상처가 생긴 것을 숨기다가

다른 닭들의 공격으로

죽음을 맞이한다

아침마다 서럽게

울던 너를 외면하지 않았더라면

젊어서 고생하며 배운 것 3.

"약육강식(蒻肉強食)"

약한 자가 강한 자에게 먹힌다는 뜻으로, 강한 자가 약한 자를 희생시켜서 번영하거나, 약한 자가 강한 자에게 끝내는 멸망됨을 이르는 말

(출처: 네이버 국어사전)

고래 싸움

고래가 왜 싸우는지

새우는 알지 못한다

다만 고래에게 잘 보이며

살아나가고 싶을 뿐이다

한 번은 이유를 알고 싶어서

왜 그러는지 물어보다가

고래에게 깔려 등이 터져버린다

젊어서 고생하며 배운 것 4.

"고래 싸움에 새우 등 터진다"

남들이 하는 싸움에 상관없는 타인이 피해를 받는다.

(출처: 나무위키)

야인 (野人)

당신은 이 시대의

야인 (野人)인가요?

제가 찾은 야인 (野人)은

더 좋은 세상을 위해

어둠이 된 선한 사람입니다

아무도 알아주지 않아

지친 당신의 오늘을 위로합니다

젊어서 고생하며 배운 것 5.

"근묵자흑(近墨者黑"

[먹을 가까이하면 검어진다.]는 뜻으로, 나쁜 사람을 가까이하면 그 버릇에 물들기 쉽다는 말.

(출처: 네이버 한자사전)

쓰리잡

나의 일은

세 가지이다

하나는 피해주지 않기 위해

믿어주는 사람들을 위해

그리고 작은 꿈을 위해

나 잘하고 있는 거 맞지?

젊어서 고생하며 배운 것 6.

"삶이 고달프고 힘든 이유는 남이 만들어 놓은 행복의 기준에 끼워 맞추기 때문입니다."

- 조금은 서툴고 흔들리는 그대에게 왜 사느냐고 묻거든 (김정한) 중 -

한 줌의 흙

흙으로 만들어지고

흙으로 돌아간다는 사실을

잊은 것처럼

감사하기보단 비교하기 쉬웠고

용서하기보다는 미워하기 쉬웠고

문제를 해결하기보다는 탓하기 쉬웠고

중요한 것보다 좋아하는 것에 가치를 두기 쉬웠다

젊어서 고생하며 배운 것 7.

"할 수 있는 한 훌륭한 인생을 만들라. 인생은 짧고 곧 지나간다."

- 오울디즈 -

욕심이 나쁜 이유

더 많은 돈을 위해

더 나은 집을 위해

더 나은 일을 위해

애쓰다 보니

더 중요한 것을 잃어 버리다

젊어서 고생하며 배운 것 8.

"주객전도(主客顚倒)"

주인과 손의 위치가 서로 뒤바뀜

(출처: 네이버 국어사전)

연어

눈이 와도 비가 와도

이른 아침 일터에

나가는 발걸음을 보니

강을 거슬러 올라가는

연어가 생각났습니다

언젠간 감사한 일도

있겠지요

젊어서 고생하며 배운 것 9.

"명확한 목적이 있는 사람은 가장 험난한 길에서도 앞으로 나가지만 아무런 목적이 없는 사람은 순탄한 길에서 조차도 앞으로 나가지 못합니다."

- 토머스 카알라일 -

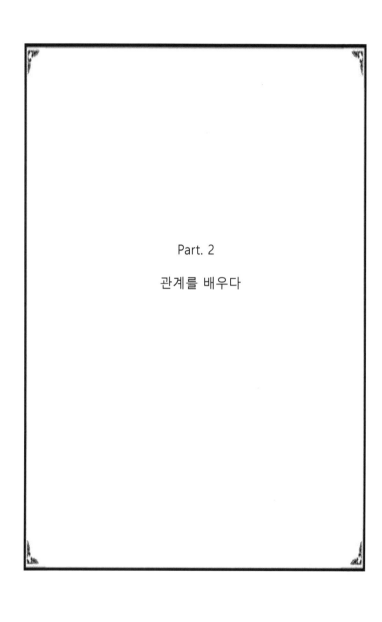

Part. 2

관계를 배우다

내가 싫어하는 사람

어느 날 나는 문득

내가 싫어하는 사람들을

하나하나 써 내려간다

준비되지 않은 사람,

정에 약한 사람,

절제하지 못하는 사람

정말 인정하기 싫게도

그것은 상황이 어려웠든

억울하게 사람이 방해를 했든

나였다.

젊어서 고생하며 배운 것 10.

"그 어떤 사람보다 자기 자신을 주의하라. 최악의 원수는 내 안에 있다."

-찰스 스펄전-

씨

상대방의 마음의 밭에

사랑하는 말을 뿌리면

사랑을 거두고

상대방의 마음의 밭에

미워하는 말을 뿌리면

미움을 거두듯

놀랍게도

말은 씨가 된다

젊어서 고생하며 배운 것 11.

"삼사일언(三思一言)"

세 번 생각하고 한 번 말한다는 뜻으로, 말을 할 때는 신중히 생각한 후에 해야 함을 이르는 말

(출처: 네이버 국어사전)

공벌레

공벌레가

심술난 내곁을

지나간다

바닥의 나뭇잎으로

못 살게하니

공벌레는

공이 되버린다

공격하기도 귀찮고

공격 받기도 싫은

나처럼

젊어서 고생하며 배운 것 12.

"위험한 것에 과감히 뛰어드는 것만이 용기는 아니다. 뛰어들고 싶은 용기를 외면하고 묵묵히 나의 길을 가는 것도 용기이다."

- <미생> '윤태호' 대사 중 -

나이값

나의 부족함으로

지키고자 하는 사람들이

떠나가게 되면

한 살 한 살

나이 드는게 무서워지더라

젊어서 고생하며 배운 것 13.

"행복이란 삶의 의미이자 목적이요, 인간 존재의 총체적 목표이자 끝이다."

- 아리스토텔레스 -

광대

사랑이 식어져서

한숨만 나오던

어느 날

문득 지나가다가

나의 잃어버린 웃음 하나를

찾아주겠다고

우스꽝스러워지는

광대를 발견하였다

누군가 말했던 것 같다

"너의 웃음을 찾아줄 수 있다면

무슨 일이든 할 거야"

그리고 어느덧 웃음을

되찾은 나

젊어서 고생하며 배운 것 14.

"내가 삶을 다시 살 수 있다면 다른 사람들을 격려하는
데 더 많은 시간을 사용하겠다."

- B. 마이어 -

쓰레기 불법 투기 금지

누군가 집 앞에 써놓은 문구 하나

"쓰레기 불법 투기 금지"

하찮은 쓰레기라

할지라도 쓰레기 장에 버리면

재활용될 수 있으니까

쓰레기를 도로에 버리면

지나가는 이들에게

밟힐 수 있으니까

조금만 더 여유를 갖고

쓰레기를 소중히 다뤄주길

바라는 바람일까?

젊어서 고생하며 배운 것 15.

"측은지심(惻隱之心)"

다른 사람의 불행을 불쌍히 여기는 마음

(출처: 네이버 국어사전)

헌신

사람들이 헌신(獻身)[1]하다가

헌 신[2]이 되는 이유는

주변에 더러운 먼지를 덮어주는

사람이 없어서가 아닐까?

---

[1] 몸과 마음을 바쳐 있는 힘을 다함.
[2] 오래된 신발

젊어서 고생하며 배운 것 16.

"절대적인 삶은 없다. 다 허물을 갖고 있다. 다만 허물을
덮어주고 못 본 척 하는 것이다. 누구는 입이 없어 말을
못하고 실력이 그만 못해서 말을 안 하는 것은 아니다. 그
것이 상대방에 대한 예의며 배려이기 때문이다. 상대의
허물을 덮어주는 아량을 베풀라. 그것이 지금보다 나은
나를 만드는 사랑이며 지혜이다."

- 가끔은 삶이 아프고 외롭게 할 때 (김옥림 엔소로지) 중 -

떡만둣국

나는 내가 떡을 좋아하면

만두를 좋아하는 사람

그런 사람이

좋더라

젊어서 고생하며 배운 것 17.

"처음 만났을 때의 마음처럼, '다르다'를 '다르다'로 기쁘게 인정하자. 세월이 흘러 '다르다'가 '틀리다'로 느껴진다면 이전보다 꼭 두 배만 배려하는 마음을 갖자."

- 최일도-

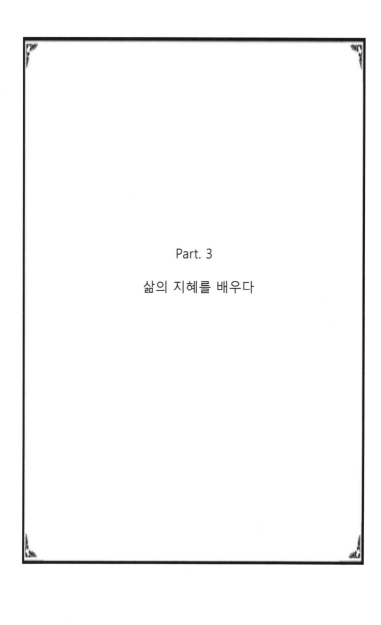

Part. 3

삶의 지혜를 배우다

다이어트

TV를 보면서

살이 찐 사람들을

연구해보니

원하는 것이

이룬 것보다 많더라

젊어서 고생하며 배운 것 18.

"믿거나 말거나 다이어트 공식"

이뤄낸 것이 많을수록, 원하는 것이 적을수록 살이 빠진다.

설거지

설거지를 깨끗이 하지 않으면

그릇에 무언가를 담을 수가 없다

이유는 아무리 좋은 것을 담아도

더러운 것이 되기 때문이다

마치 나라는 그릇도

더러우면 천히 쓰는 그릇이 되고

깨끗하게 하면 귀히 쓰는 그릇이 되는 것처럼

젊어서 고생하며 배운 것 19.

"자기를 깨끗하게 하면 귀히 쓰는 그릇이 되어 거룩하고 주인의 쓰심에 합당하며 모든 선한 일에 준비함이 되리라."

- 성경전서 -

용서

용서를 하지 않는 것은

쓰레기를 내 몸에

지니고 다니는 것과 같다

오랫동안 그 쓰레기를

버리지 못하면 나를 쓰레기통으로

취급하게 된다

젊어서 고생하며 배운 것 20.

"때론 용서할 수 없는 사람이 있다. 도저히 지울 수 없는 분한 일도 있다. 그러나 그럴수록 지우고 용서하라. 왜냐하면, 그런 기억과 분노들이 우리에게 주어진 삶의 질을 망가뜨리기 때문이다."

- 미첼 바첼레트 (칠레 첫 여성 대통령) -

올챙이가 된 개구리

개구리가

올챙이 적

기억 못하니

올챙이가 되다

젊어서 고생하며 배운 것 21.

"분명지효 (分明之恩)"

은혜는 분명하게 알고 인정하며 행동해야 한다.

연말의 기도

떠나야 할 때

떠날 수 있는 사람이 되길

배고픈 사람에게

밥 먹으란 잔소리보다

밥을 사줄 수 있는 사람이 되길

화해가 필요하면

먼저 손을 건낼 수 있는 사람이 되길

최고의 것을 누리게 하시고

최고의 것을 나누는 사람이 되길

젊어서 고생하며 배운 것 22.

"천국에 들어가려면 두 가지 질문에 답해야 한다는군. 하나는 인생에서 기쁨을 찾았는가? 다른 하나는 당신의 인생이 다른 사람들을 기쁘게 해주었는가?"

- 행복일기: 기초편 (최성애) 중 -

할머니의 맹장

왼쪽 옆구리가

너무 아프시다고

맹장인 것 같다고 하시는

할머니

"너희 할머니

자세를 잘못 주무셔서

왼쪽 뼈가 아프신거야"

하는 할아버지의 말씀과 함께

온갖 걱정으로

가득하며 찾아간 병원

"의사 선생님, 어디가 안 좋은가요?"

"장에 가스(gas)가 차서 아픈 겁니다.

변비약 처방해드릴게요"

그 날 이후로 가족들의

걱정은 사라지고 있었다

젊어서 고생하며 배운 것 23.

"문제를 똑바로 파악하면 반은 해결한 것이나 마찬가지 다."

- 찰스 케터링 -

두려운 이유

두려움의 이유를 찾기 위해

네이버 검색을 하기 시작한다

두려움이 있는 이유는

사랑이 없기 때문이다

사랑이 없는 이유는

이해할 수 없기 때문이다

이해할 수 없는 이유는

이기적이기 때문이다

이기적인 이유는

약점을 드러내기 싫어하기 때문이다..??!!

젊어서 고생하며 배운 것 24.

"두려움은 언제나 무지에서 샘솟는다"

- 에머슨 -

비

농사를 짓는 엄마는

말씀하신다

"비가 잘 오네, 하나님이 응답하셨구나"

기대하고 기다리는 자에게

비가 온다고 한다는데

그게 진짜가 맞네!

젊어서 고생하며 배운 것 25.

"천조자조(天助自助)"

하늘은 스스로 돕는자를 돕는다는 뜻. 즉, 하늘은 스스로 열심히 살려고 노력하는 사람에게 복을 내린다는 의미.

출저: 지식스니펫

불가능

누군가 나에게

속삭이고 있습니다

너는 할 수 없을거라고

결국 거센 폭풍으로

지쳐 쓰러질거라고

나는 대답합니다

"어차피 안 될거라면

잘 될거라 생각하고 안되자"

젊어서 고생하며 배운 것 26.

"긍정상책(肯定上策)"

긍정적 사고와 행동이 최고 좋은 방책이라는 뜻

출처: 지식스니펫

벼

벼는 익을 수록

고개를 숙인다고 하는데

어딜가나 고개를 숙이지 못하는 걸보니

아직 난 익지 않았나보다

알차게 익어서

배고픈 사람들을 위해

자신을 희생하는 벼처럼

진정으로 하고 싶었던

꿈을 이뤄나가는

꽉 찬 나를 응원해본다

젊어서 고생하며 배운 것 27.

"위대한 사람은 말은 겸손하지만 행동이 남보다 뛰어나다"

-공자-

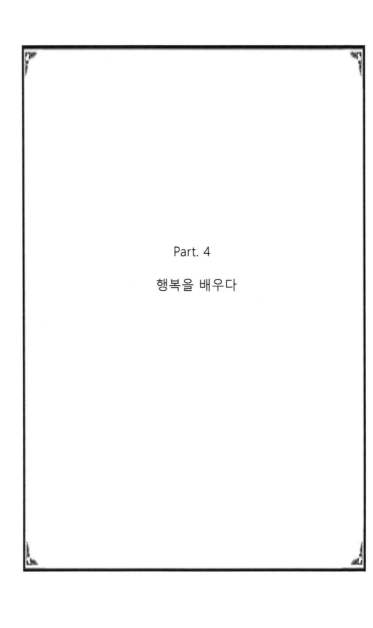

Part. 4

행복을 배우다

낙서

우연히 들린 카페 벽에는

수많은 사람들이

쓴 낙서로 가득하다

어떤 방법으로도

기억하고 싶은

소중한 것들

나, 너, 우리

젊어서 고생하며 배운 것 28.

"작은 집일지라도 마음이 진실한 친구로 가득 채울 수 있다면 그 사람은 이 세상에서 가장 행복한 사람입니다."

- 소크라테스-

백미러

행복을 찾던 나에게

우연히 마주친

백미러의 한 마디

"사물이 보이는 것보다 가까이 있음"

젊어서 고생하며 배운 것 29.

"복생어미(福生於微)"

복은 작은 것에서 생긴다는 말로, 행복은 조그마한 일에
서부터 싹튼다는 뜻.

(출처: 지식스니펫)

행복한 일주일

월요일은 월요병이 와도 웃자

화요일은 화가나도 웃자

수요일은 수가나도 웃자

목요일은 목이 칼칼해져도 웃자

금요일은 금요일이니 웃자

토요일은 토요일이니 웃자

일요일은 일요일이 남았으니 웃자

젊어서 고생하며 배운 것 30.

"우리는 행복하기 때문에 웃는 것이 아니고 웃기 때문에
행복하다"

-윌리엄 제임스-

어린아이

학교를 가기 전에
부모님이 항상 하시던 말씀
"모르는 사람이 뭐 사준다고
따라가지 마라"

그저 상대방을 불신하지 않고
좋은 면만 볼 수 있었던 어린시절

비록 세상이 어두워서
진짜와 가짜를 가리기 어려워졌지만

우리는 항상 잊지 말아야 한다
천국은 어린아이에게 허락되었다는 것을

젊어서 고생하며 배운 것 31.

"어린이가 없는 곳에 천국은 없다."

- A. C. 스윈번 -

마포대교

자살 대교라고도 불리는

한강 마포대교 위를 달리던

160번 버스는 덜컹거리며

가던 길을 멈춘다

해질 무렵 노을과

넘실거리는 푸른 물결 위로

쌍무지개까지 뜬다

"오늘 마포대교 무지개가 참 예쁘죠?

사진 찍게 잠시 세울까요?"

그 말에 승객들은 약속이라도 한 듯

"좋아요"를 외친다

삶의 의미를 잃어버린 사람들은

작지만 소중한 것들을

지나쳐버린 실수로부터

모든 것이 시작된 것이 아닐까

젊어서 고생하며 배운 것 32.

"당신에게 가장 중요한 때와 당신에게 가장 중요한 일과 당ㄷ신에게 가장 중요한 사람은 누구인지 아는가? 당신에게 가장 중요한 때는 지금 현재이고, 당신에게 가장 중요한 일은 지금 추진하고 있는 일이며 당신에게 가장 중요한 사람은 지금 만나고 있는 사람이다"

- 톨스토이 -

잎사귀

항상 어려운 시절마다

시원한 그늘이 되어 지켜주고

보약이 되주는

잎사귀 같은 당신께

감사합니다

이제는 당신이 보여준

사랑을 다른 사람에게

주는 잎사귀가 되겠습니다

젊어서 고생하며 배운 것 33.

"난망지은(難忘之恩)"

잊을 수 없는 은혜.

(출처: 네이버 국어사전)

스카치테이프

스카치 테이프처럼

살 수 있다면

참 좋겠다

마음이 찢어진 종이를

다시 아무렇지 않은 듯

제 자리를 찾게 해주니까

그리고 나는

스카치 테이프처럼

살 수 있다면 참 좋겠다

떨어진 실과 바늘을

아름답게 붙여줄 수 있으니까

젊어서 고생하며 배운 것 34.

"화해는 세상을 더 나은 곳으로 만듭니다."

- 딜라이 라마 -

행복하기 위한 방법

욕심에 따라 사는 것이 아니라

필요에 따라 산다

사랑을 받는 것에 그치지 말고

주는 삶을 산다

다른 사람이 잘 되는 것을

내 일처럼 축복한다

내게 없는 것이 아니라

있는 것에 초점을 맞춘다

항상 긍정적인 생각과

행동을 한다

젊어서 고생하며 배운 것 35.

"사람이 얼마나 행복한 가는 그의 감사의 깊이에 달려있다."

- 존 밀러 -

486 컴퓨터

삐삐, 486컴퓨터, 퍼크, 요요

지금은 볼 수 없는 고마운 것들

감사해요!

지금은 볼 수 없는 고마운 분들,

감사했습니다

고생하셨어요!

젊어서 고생하며 배운 것 36.

"난망지은(難忘之恩)"

잊을 수 없는 은혜.

(출처: 네이버 국어사전)

Part. 5

다시 일어서는 법을 배우다

혼자가 아닌 나

경찰청 (범죄 사건을 당했을 때): 112

소방서 (화재 사건을 당했을 때): 119

질병관리청 (질병 정보가 궁금할 때): 1339

한국관광공사 (관광정보가 궁금할 때): 1330

국토교통부 (교통정보가 궁금할 때): 1333

행정안전부 (도로명 주소가 궁금할 때): 1558-0061

대한법률구조공단 (법률 지식이 필요할 때): 132

필요할 때 함께하는 곳.

젊어서 고생하며 배운 것 37.

"살면서 모르는 게 많다고 걱정하지마 때가 되면 다 알려줄 거니까 그러니 너는 혼자가 아니야."

- 블로거 짱스토리 -

안개꽃

6월의 어느 날

아이들의 안개 꽃은

꽃봉오리가 올라오기 시작한다

주변에 수많은 잡초들이

못 살게 굴어도

그 기세를 누르고

언제부터인가 함께하기 된

양귀비 한 송이를

친구 삼고

자신만의 꽃을

틔울 준비를 시작한다

젊어서 고생하며 배운 것 38.

"사막에서 피어나는 꽃이 우리에게 알려 주는 것이 있다. 그것은 바로 아무리 큰 역경도 이겨낼 수 있다는 것이다."

- Matshona Dhliwayo -

모기

모기에게 물리면

피를 뺏기고 가렵다

그런 사람들의

가려움을 해결해주었으면 좋겠다

젊어서 고생하며 배운 것 39.

"살아가는데 있어 가장 큰 영광은 결코 넘어지지 않는 것이 아니라, 넘어질 때마다 일어서는 데 있다."

- 넬슨 만델라 -

월요일 아침

월화수목금퇼

또다시 돌아온 월요일 아침

파이팅해야지

10분 만에 준비해서

나가야 하는 출근 길

파이팅해야지

나의 마음도 모르고

오늘 따라 길을 막아서는 빨간불

파이팅해야지

이제 회사에 가면

싫은 소리 들을 수도 있지만

그래도 화이팅해야지

젊어서 고생하며 배운 것 40.

"낯설고 거친 길 한가운데서 길을 잃어버려도 물어가면 그만이다. 물을 이가 없다면 헤매면 그만이다. 중요한 것은 자신의 목적지를 절대 잊지 않는 것이다."

- 한비야 -

큰 그릇

어둠이 유난히

길게 느껴진다면

이렇게 생각해보자

큰 그릇은 오랜 시간과

많은 노력을 들여

완성되는거라고

젊어서 고생하며 배운 것 41.

"대기만성(大器晚成)"

큰 그릇을 만드는 데는 시간이 오래 걸린다는 뜻으로 크게 될 사람은 늦게 이루어짐을 이르는 말.

출처: 네이버 국어사전

오뚜기

상 장

오 뚜 기

귀하는 오랜 세월동안 넘어진 많은 사람들에게

직접 본을 보이며

일어서야 한다는 지혜를 주었기에 이 상을 드립니다.

2023년 4월 23일

인생학교위원장

젊어서 고생하며 배운 것 42.

"어떤 것이 당신이 계획대로 되지 않는다고 해서 그것이 불필요한 것은 아니다."

- 토마스 A. 에디슨 -

지평선

지평선 너머로는

무엇이 있을까

궁금해 본 적 있나요?

나는 너무 궁금해요

지금 이 삶 속에서

원하는 답을 찾지 못하면

지평선 너머에는

원하는 답을 찾을 수 있을 것 같아서요

만약 저와 같은

생각을 갖고 있다면

함께 떠나볼래요?

젊어서 고생하며 배운 것 43.

"시도해보지 않고는 누구도 자신이 얼마만큼 해낼 수 있는지 알지 못한다."

- 푸블릴리우스 시루스 -

먹구름

까막까막한 먹구름이

가득한 어느 날

비가 오면

쓸 수 있는 우산 하나

준비되지 않았는데

비 맞은 생쥐와 같이

힘들고 지칠 때

이것 하나만 기억해줘요

먹구름 뒤에는

태양이 기다리고 있다는 것을

젊어서 고생하며 배운 것 44.

"태양은 구름 뒤에 있더라도 항상 밝게 빛난다."

-Paul F. Davis-

지옥

지금 상황이 지옥같다면

무조건 앞으로 달려 나가자

천국으로 나가는

문을 찾을 수도 있다

젊어서 고생하며 배운 것 45.

"많은 인생의 실패자들이 포기할 때 자신이 얼마나 성공에 가까이 있었는지를 모른다."

- 토마스 A. 에디슨 -